亲爱的爸爸妈妈：

欢迎翻开这套由博丹夫妇（The Berenstains）创作的桥梁书。我们总结了几十年的童书创作经验，为日渐长大的小读者们创作了这套简单易懂、趣味无穷、意义深远，并且值得反复阅读的桥梁书。

这套桥梁书内容丰富，包含朋友相处的趣事、神秘的冒险故事以及成长中的哲理故事等方面的主题，书中涉及的字词简单，行文句式简短，有利于小读者轻松完成自主阅读。

本套书为小读者们搭建了一架从亲子阅读向自主阅读顺利过渡的桥梁，相信您的孩子一定会由此爱上文字书的精彩世界！

祝您阅读愉快！

全球畅销童书 **桥梁书**（1-3年级）

Too Small For the Team

小小足球星

贝贝熊系列丛书
The Berenstain Bears

（美）斯坦·博丹　简·博丹　绘著
Stan & Jan Berenstain

余凌燕　译

CHISO 新疆青少年出版社

图书在版编目（CIP）数据

小小足球星：英汉对照 / (美) 博丹

(Berenstain,S.)，(美) 博丹 (Berenstain,J.) 绘著；余凌燕译 . -- 乌鲁木齐：新疆青少年出版社，2010.12

（贝贝熊系列丛书）

ISBN 978-7-5371-9114-2

Ⅰ . ①小… Ⅱ . ①博… ②博… ③余… Ⅲ . ①英语－汉语－对照读物②儿童文学－故事－美国－现代 Ⅳ . ① H319.4：I

中国版本图书馆 CIP 数据核字 (2010) 第 213513 号

版权登记：图字 29-2010-14

The Berenstain Bears Too Small For the Team

Copyright©2001 by Stan Berenstain Enterprises, Inc.

This edition arranged with Sterling Lord Literistic, Inc.

through Andrew Nurnberg Associates International Limited

（美）斯坦·博丹　　简·博丹　　绘著
Stan & Jan Berenstain
余凌燕　译

出 版 人：徐　江
策　　划：许国萍　　　　责任编辑：刘悦铭
美术编辑：丛　楠　　　　责任校对：贺艳华
法律顾问：钟　麟　13201203567（新疆国法律师事务所）

新疆青少年出版社

（地址：乌鲁木齐市胜利路二巷1号　邮编：830049）

Http://www.qingshao.net　　E-mail:QSbeijing@hotmail.com

经销：新华书店

印制：北京时尚印佳彩色印刷有限公司

版次：2011年1月第1版　　　印次：2011年1月第1次印刷

开本：787×1092　1/32　　印张：3　印数：1-10000册

书号：ISBN 978-7-5371-9114-2

定价：8.00元

　　一个美好的春日里，小熊妹妹在上体育课。这堂课大家练习踢足球。

　　小熊妹妹很喜欢足球。她动作敏捷，跑起来快得像风。

　　她也很有球技，会快速传球，会带球过人。

　　她还能射门呢。嘿，她可射得太准了！她能把球从中场径直踢进球门里！

体育课的比赛中，小熊妹妹踢得很棒。她从别人脚下断球七次，还踢了一个笔直的角球。

她甚至进了三次球。

问题是，布朗教练并没有密切关注

这场比赛。她一直在打电话，错过了大半场。布朗教练是体育老师和熊妮联盟足球队的教练，可惜小熊妹妹这么精彩的进球，她却连一个也没看见。

快下课的时候，布朗教练才回到足球场上，她让小熊们排好队。

"我有一件事要宣布，"她说，"本届熊妮联盟足球队的选拔赛定在下星期三放学后举行。本来这只针对高年级的、个子大一些的女孩，不过你们当中有些同学个子也够高了，我就也给你们一次机会。好了，去洗澡吧。"

洗澡的时候，小熊妹妹对她最要好的朋友丽兹说："足球选拔赛真是太棒啦！"

丽兹耸了耸肩："对那些可以去参加的女孩来说，是挺不错。"

"你不去吗？"小熊妹妹问，"你那么厉害。"

"你没听到布朗教练说的吗？"丽兹

说，"熊妮联盟要的主要是高年级的、个子大一些的女孩。我敢打赌布朗教练连选拔赛都不会让我参加。"

"好吧，反正我要去参加。"小熊妹妹说。

丽兹奇怪地看了小熊妹妹一眼："可是你不是和我差不多高吗？布朗教练也不会让你参加选拔赛的。"

"那她为什么要通知我们呢？"小熊妹妹不甘心地问。

丽兹指了指大劳拉说："那是因为我们班有她这样的女孩。"

"可她和我们一样大呀。"小熊妹妹说。

"当然，"丽兹接着说，"只不过她一个人的个头儿就有我们两个加起来那么大。"

　　的确是这样。大劳拉比小熊妹妹和丽兹高多了，她看起来就像比她们大了两三岁。

　　"那又怎么样？"小熊妹妹不服气，"我比大劳拉踢得好。"

　　"可你踢球的时候布朗教练没看见，"丽兹提醒她，"那时她在打电话。"

　　小熊妹妹皱了皱眉头。不过，她很快又满怀信心地说："选拔赛要到下周三才举行，在那之前我们还有两次体育课呢，没准还会再踢一次足球。也许那时候布朗教练就能看见我的表现了。"

　　"只能希望是这样了。"丽兹说。

在回家的校车上，小熊妹妹对小熊哥哥说了足球选拔赛的事。

"你要去参加，嗯？"小熊哥哥问她。

"对。"小熊妹妹肯定地说。

"妹妹，我不知道这是不是一个好主意。"小熊哥哥有些为难地说。

"为什么？"小熊妹妹问。

"因为你还太小，"小熊哥哥解释说，

"而布朗教练想找的一定是高年级的、个子大一些的女孩。"

"可我比她们跑得都快，移动的步伐也比她们好。我射门也很准，你都有好几次没能防住我！"

事实的确是这样。不过小熊哥哥很了解布朗教练，知道她想要什么样的队员。

"那么，"小熊哥哥妥协说，"回家问问爸爸妈妈再说吧。"

"我当然会问，"小熊妹妹不服气，"他们会理解我的。"

爸爸妈妈的确理解小熊妹妹，但他们也同样理解布朗教练。

"宝贝，别期望过高了，"熊妈妈说，

"要入选熊妮联盟足球队可能会很不容易，参赛的其他女孩都比你大。"

"期望过高？"小熊妹妹问，"如果我没有信心，怎么可能成功呢？"

"你妈妈的意思是说，布朗教练想要那些大个子的女孩。"熊爸爸解围道，"所以如果不能入选，你也不要难过。"

"不能期望过高？！不要难过？！"小熊妹妹有些生气了，"为什么我不能寄太大希望？为什么我不能难过？我跑得比她们都快，球技也比她们好！"

熊爸爸叹了口气，他知道小熊妹妹现在什么也听不进去。

"我要拿哥哥的足球出去踢会儿，"

小熊妹妹说，"我要为选拔赛做好准备。"

小熊妹妹出门了。熊妈妈望着熊爸爸说："她一心想要进熊妮联盟。"

"她是个不错的小球员。"熊爸爸肯定地说。

"你说了个很关键的词——"熊妈妈说，"小。"

熊爸爸又叹了口气："我知道。我只是希望布朗教练能在选拔赛之前看见她踢球。"

布朗教练始终没能在选拔赛之前看见小熊妹妹踢球。选拔赛前的两次体育课，他们一次上了篮球课，还有一次练习了摔跤。

很快到了星期三下午——选拔赛就要开始了。

小熊妹妹急匆匆地冲进更衣室，飞快地换好球衣奔向操场。

操场上有四十个女孩，有的在练习前后运球，有的在练习盘球，还有的只是在一旁看着。她们都比小熊妹妹个头大，大得多得多！

大劳拉也在，她正把球传给大布鲁因。

小熊妹妹跑向布朗教练："我要报名！"

布朗教练低头看见小熊妹妹，有些惊讶。

"小熊妹妹？"教练问，"你怎么来了？"

"我说了的，"小熊妹妹答道，"我来报名参加选拔赛。"

"我很遗憾，小熊妹妹。"教练抱歉地说，"你不能参加选拔赛，你还太小。"

"我是还小，但我很厉害。"小熊妹

妹辩解说，"我跑得和风一样快，而且我的球技也不错。我会快速停球，我会带球过人，最重要的是，我射门很准！"

"我很遗憾，"教练重复道，"不管怎么说要进球队你都还太小。"

小熊妹妹简直不敢相信，布朗教练连试一试的机会都不给她！

练球的女孩子们都停了下来，看着小熊妹妹和教练。"你们！都接着练球！"教练喊道。

女孩们又都开始练球，不过她们没有起初练得那么认真了，她们边练球边偷偷地往这边看。

"我们现在必须开始比赛了，小熊妹

妹，"布朗教练说，"恐怕不得不请你离开场地了。"

不应该这样的！这样不公平！布朗教练不但不给她尝试的机会，甚至还要

把她轰出场地！所有的人都在那儿看着她呢！

小熊妹妹觉得自己就要哭出来了。她不想当着别的女孩的面哭，但她越是想努力地忍住眼泪，就越觉得难过。

于是她真的哭了起来。

小熊妹妹慢慢转过身，准备离开操场，她重重地叹了一口气。走回更衣室的路显得那么漫长，仿佛是她走过的最长一段路。

所有的女孩都注视着小熊妹妹，布朗教练也注视着她——她很同情小熊妹妹。突然，教练冲小熊妹妹喊道："等一下！小熊妹妹！"

小熊妹妹连忙跑了回去。

"您改变主意了吗，教练？"小熊妹妹问，"我可以参加选拔赛了吗？"

"我没有改变主意，"布朗教练说，"不过我倒是可以交给你一项任务——领队。"

"什么是领队？"小熊妹妹问。

"就是管理球队事务的人。"布朗教

练解释说，"所有和球队有关的日常事务都由她来负责，她要参与所有的训练，陪同出行所有的比赛。这是一项很重要的任务。"

小熊妹妹想了想，其实她并不在乎领队是做什么的，只要能参加所有的训练和比赛，她就很喜欢。也许这样，就有机会让布朗教练看见她踢球了。

"好的，"小熊妹妹说，"我做领队。"

4

很快，小熊妹妹就发现，看别人比赛并不怎么有趣。

她很高兴自己能留在场地上，但她更希望自己也是那些选手中的一个。

选拔赛很快就结束了。

赛后，布朗教练通知选手们明天去看布告栏，入选队员的名单将贴在那儿。

"哪些人入选了？"小熊妹妹问教练。

"明天你就知道了，"布朗教练说，"我想让所有人在同一时间知道。"

"可是，我是领队啊。"小熊妹妹说，"我的第一个任务不就是应该知道都有哪些队员吗？"

"你的第一个任务是把这些足球整理好。"布朗教练说。

小熊妹妹环顾四周，操场上到处都是足球。

"好吧，"小熊妹妹说，"足球车在哪儿呢？"

布朗教练指了指一辆小孩子用的玩具马车。

"那不是足球车呀。"小熊妹妹有些

疑惑，"那是辆玩具马车。"

"足球车坏了，"布朗教练说，"所以我把我女儿的玩具车拿来了。"

小熊妹妹又往四处看了看。其他同学都已经放学准备回家了，他们正穿过操场，向校门口走去。

本来，不能进球队已经够糟糕的了，现在又会被那么多同学看见她拉着一辆可笑的玩具马车跑来跑去，小熊妹妹有点灰心。

"这辆车太小了，"小熊妹妹无奈地说，"装不下所有的足球。"

"那就装两次，"布朗教练答道，"或者装三次，几次能装完就装几次。装好

了给我送到更衣室来。"

两次？或者三次？那就有更多的同学会看见她拉着一辆玩具马车了。哦，这下可好了，小熊妹妹心想。

小熊妹妹没有拉着车去捡球，而是把球一个一个捡回来放进车里。这样更花费时间，不过好在她就不用拉着那辆傻乎乎的玩具马车跑来跑去了。

好不容易装满了一车，只装了八只足球。也就是说，一共至少要装三次才能装完。

小熊妹妹一直等到没有人在看自己，才开始拉那辆玩具马车。拉了几步以后，她开始跑起来，才一会儿，两只足球就从玩具马车里弹了出来。

"哦，不会吧？"小熊妹妹大声说。

这下引得其他同学纷纷往这边看过来。他们看着小熊妹妹追着球跑，再把球捡起来放回车里，都指着她大笑起来。

等看见小熊妹妹又拉起了玩具马车，他们笑得更厉害了。这一次小熊妹妹可不敢再跑着拉车了。

到更衣室要走很久，一路上都有人指着她笑。大高个和他那一伙人也在，他们像猴子一样又叫又跳。

　　当小熊妹妹回来装第二车足球的时候，来看她笑话的同学更多了。大家沿着栅栏排成一排。这简直就是场噩梦！

　　这才是她当领队的第一天！事情还能再糟糕一点吗？

小熊妹妹拉着玩具马车第三次回来装足球。

大高个带着他那伙人又叫又跳，这一次他们叫得更大声了。

终于又到了更衣室，小熊妹妹舒了一口气。"好了，教练。"她说，"装了三次，一共二十四只球。"

"还不错，"布朗教练说，"不过一共

有二十六只球，你肯定还落了两只在操场上。"

"哦，不会吧？"小熊妹妹说，"我真的不想再拉着这辆傻乎乎的玩具车出去了。"

"你可以不用车，"布朗教练说，"把球抱回来就可以了。"

"好的！"小熊妹妹爽快地答应了。她心想，可能不用那辆车的话，就不会再引得大高个那伙人又叫又跳了。

可惜，这下她想错了。

"喂，小女孩，你的玩具马车呢？"大高个一看见她就叫喊道。

"你最好还是带着你那辆玩具马车

吧！"他的同伙也喊道，"谁知道你会不会再漏掉一只球呢？"

其他人都笑得前仰后合——他们总爱在大高个一伙人嘲笑别人的时候跟着大笑，只要被嘲笑的人不是他们自己。

小熊妹妹抱着最后两只球回到更衣室，她把它们放进了足球架。她很高兴这一切终于结束了。

"接下来做什么？"她问教练。

"观察一下更衣室，猜猜看。"教练说。

小熊妹妹四处看了看，地板和长椅上扔满了脏毛巾。

"把这些脏毛巾捡起来？"小熊妹妹猜道。

"然后把它们放进洗衣篮里。"布朗教练说。

小熊妹妹把四处乱扔的脏毛巾都捡起来，放进了洗衣篮里。

"好了，做完了。"她说。

"你还落了一块毛巾。"教练对她说。

布朗教练指了指衣柜上方。

原来，衣柜顶上还有一块毛巾。那块毛巾卷成了一个又湿又脏的球。

"哦，不会吧？那是谁干的？"小熊妹妹惊讶地问。

"我想应该是奎妮吧，"布朗教练说，"去年选拔赛结束后她也是这么做的，这是她'锻炼'新领队的一种方式。"

"我还想锻炼她呢。"小熊妹妹一边自言自语，一边拉过一条小板凳，爬上去够那条毛巾。

小板凳晃了晃，小熊妹妹差点摔了

下来，不过她还是拿到了那条毛巾。

　　小熊妹妹从板凳上下来，把毛巾扔进了洗衣篮。她开始觉得不耐烦了。

　　"好了吗？"她问教练。

　　"今天就先到这里，"教练说，"以后你要做的还有更多。你要提着水桶，给大家分饮料，还要跟着球队去其他的学校。

　　"你要看紧所有的足球、毛巾和队服，"教练又说，"特别是在上下车的时候，你要确保它们没被落下。"

　　这些任务听起来很繁杂，而且一点也不好玩。小熊妹妹可以肯定的是，这对她进足球队一点帮助也没有。

　　"小熊妹妹，你怎么了？"教练问，"你

不喜欢做领队吗？"

"你说这是一份很重要的工作，"小熊妹妹觉得有点委屈，"可是看起来它并不太重要。"

"不，它很重要。"布朗教练说，"小熊妹妹，你想想，你要照管好足球、毛巾、队服，还有饮料。没有这些东西，我们甚至不会有一支足球队，对吗？你说对吗？"

小熊妹妹觉得进退两难："我想是这样吧。"她只好说。

"这就对了！"布朗教练说，"所以说领队是一份很重要的工作，非常重要。好了，小熊妹妹，明天训练的时候见。"

　　说着，布朗教练走出更衣室，回办公室去了。

　　小熊妹妹摇了摇头：也许这是一份重要的工作，只是不知道为什么，她一点也没感觉到它的重要。

6

那天晚上，熊妈妈和熊爸爸都不太敢问小熊妹妹选拔赛进行得怎么样，只有小熊哥哥不怕。

"嘿，妹妹，"他说，"足球选拔赛怎么样了？"

小熊妹妹说："布朗教练连试都不让我试一下，她说我太小了。"

"这个嘛，你本来就很小。"小熊哥哥说。

"我不小了，"小熊妹妹叫道，"我很厉害，厉害就够了！"

"你的确很厉害，亲爱的。"熊妈妈赶忙说。

"明年还有机会的。"熊爸爸补充道。

"至少我还有机会跟着球队，"小熊妹妹说，"现在我是熊妮联盟足球队领队。"

"足球队领队？"小熊哥哥的眼珠直转，"哦，天哪，水桶、脏毛巾……"

"别说了。"熊妈妈阻止了小熊哥哥，她转向小熊妹妹，"宝贝，听起来这是一份很重要的工作。"

"它不是。"小熊妹妹委屈地说。

"可是，领队——"熊妈妈又说，"听

起来是多么重要啊。"

"是啊,"小熊妹妹苦笑着回答,"今天我要照顾一大堆足球和一大堆脏毛巾,明天我还要照顾臭烘烘的队服。"

小熊哥哥在一旁偷笑。

"想知道最糟糕的事情吗?"小熊妹妹接着说,"足球车坏了,我不得不用一辆玩具马车装球。所有的同学都在一边笑我。"

小熊哥哥听了大笑起来,熊妈妈狠狠地瞪了他一眼。

"对不起。"小熊哥哥赶忙道歉。

可是,他的脑海里却不断地浮现出小熊妹妹描述的画面,他仿佛就看见小

熊妹妹正拉着那辆装满了足球的玩具马车……想着想着，他就忍不住又偷笑起来。

接着，偷笑变成大笑，小熊哥哥越笑越厉害，笑得连眼泪都出来了。

熊爸爸也在吃吃地笑。为了不露破绽，他用手捂住自己的嘴巴。熊妈妈看着小熊哥哥和熊爸爸，她的目光严厉得简直能把父子俩杀死。

"你可以走了，小熊哥哥。"熊妈妈说，"上楼去写你的作业。"

"我的甜点还没吃怎么办？"小熊哥哥边笑边问。

"做完作业再吃。"熊妈妈说，"上楼之前，先对小熊妹妹说'对不起'。"

“对不起，妹妹。”小熊哥哥说。

可是，话刚出口，他又笑了起来。他连忙跑了出去。

“我替你哥哥向你道歉，”熊妈妈对小熊妹妹说，“你可以生他的气。”

可是小熊妹妹看起来只是伤心，不是生气。

“我不生他的气。”小熊妹妹说，“他没有做错什么，那一幕看起来一定傻透了，就算是我，我也会笑自己的。”

熊爸爸凑过来，在小熊妹妹背上轻轻拍了拍。“这才是我的乖女儿，”他说，“要承认自己看起来傻是很需要勇气的。别担心了，一切都会好起来的。”

小熊妹妹忽然想到了什么，她笑了起来。

"一切都会好起来的。"她说，"下次体育课我们要练习踢足球，布朗教练就能看见我踢球了，她就会发现我有多厉害了。那样，她就会把我收进熊妮联盟！而且我是领队，我了解所有的队员。一切都会变得很棒！"

"这才是我的乖女儿！"熊爸爸竖起大姆指说，"要积极乐观！"

第二天是个雨天，体育课她们没能踢足球。到了下午，雨停了，熊妮联盟足球队开始进行第一次训练。

操场被雨淋透了，像一片充满了绿色糊糊和泥浆的海洋。

训练开始前，小熊妹妹把队服递给了大家。所有的队服又新又干净，不过她知道，一会儿它们就会变得很脏了。

训练结束后，小熊妹妹又要负责捡起所有的足球。足球车修好了，她感到很高兴。

可是，就算这样，大高个他们还是在嘲笑她。

"小女孩，你的玩具马车呢？"大高个喊道。

"她肯定把玩具马车弄坏了！"他的同伙喊道。其他人都大笑起来。

小熊妹妹捡着足球，心里越来越生气。

难道整个赛季要一直这样吗？她真想尖叫。

好不容易，小熊妹妹把足球车拉到了更衣室门口。她想忍住不开口，可还是没忍住，在进更衣室之前，她回过头来对大高个他们大叫道："再见，讨厌鬼！"

谁知，这却惹得他们叫得更大声，笑得更厉害。

小熊妹妹把足球都整理好后，环顾了一下更衣室，队员们正在浴室里洗澡。

地板和长凳上扔满了她们的队服，它们果然已经不再是又新又干净的了，上面沾满了杂草汁液和污泥。

"哼！"小熊妹妹厌恶地撇了撇嘴。

就在这时，一件脏衣服掉在了她头上，她一把将它拽了下来。

"太可恶了！"她叫道，试着用手背把脸上的泥抹掉。

"真对不起，"奎妮说，"我以为你看见我把它扔过来了。"

"是啊，你以为！"小熊妹妹有些生气。

这时，一只臭袜子又飞了过来，刚好砸在小熊妹妹的脸上，接着又飞来了一只。

"呸！"小熊妹妹弄掉了脸上的袜子。

奎妮咯咯笑着跑进了浴室。

"又来啦！"另一个女孩叫道。

这一次小熊妹妹接住了扔过来的队服，不过球袜却掉在了她脚上。

小熊妹妹把所有的脏队服和足球袜

都收起来，放进洗衣篮里。然后，她站
到了浴室门口，把干净的毛巾依次递给
洗完澡出来的女孩们。

　　小熊妹妹想尽量显得友好。"练得不错！"她对每个走出浴室来的女孩说。

　　然而，女孩们都只一把拿过她手上的毛巾，没有一个人对她说声"谢谢"。

　　小熊妹妹走向大劳拉。大劳拉正在把自己擦干。"嘿，劳拉，"小熊妹妹友好地说，"你能进球队我真高兴，祝你好运。"

　　大劳拉只低头看了看小熊妹妹，就转过身去，开始擦干头发。小熊妹妹简直不敢相信：大劳拉当真认为她比自己大了吗？

　　不一会儿，脏毛巾纷纷向小熊妹妹飞过来，小熊妹妹伸出两只手臂去接。她接住了其中的大多数，那些没接住的，她只好把它们捡起来再放进洗衣篮。

总算完成了一天的工作。谢天谢地！小熊妹妹朝更衣室门口走去。

可是奎妮还没有捉弄完小熊妹妹。

"喂！管水的！"奎妮喊道，"给我弄瓶水来！"

小熊妹妹瞪了她一眼："要喝水自己去拿！"

"可我的任务是进球啊，"奎妮讽刺地说，"你的任务才是给我们拿水！"

其他的女孩都笑了，大劳拉笑得最厉害。小熊妹妹跺着脚走出更衣室，气呼呼地回家去了。

8

　小熊妹妹希望，至少在布朗教练让她正式加入熊妮联盟之前，自己能很快适应领队这个角色。

　可是，无论是搬重重的足球筐，还是时不时地被脏毛巾和脏队服砸中，都不是那么容易适应的事情。

　布朗教练还是没有让她正式加入熊妮联盟。在体育课上，教练一直没有机

会看见她踢球。

她们第一周的训练结束后，熊王国里一个新的体育协会成立了，要进行长达两个星期的体能测验。这是熊王国健康计划的一部分，包括很多项目：下蹲运动、拉伸运动，还有跑步什么的，可惜就是没有足球。

小熊妹妹也一直没有时间好好地练球，她总是忙于各种杂事：保管足球，保管水桶、毛巾还有队服。

很快熊妮联盟就迎来了第一场比赛。比赛在别的学校举行。这就是说，小熊妹妹必须在上下车的时候照管好所有的毛巾、队服和足球，必须在一间陌生的更衣室里工作，必须在一群陌生人面前，在一个陌生的场地照顾好整个球队。

起初，小熊妹妹有点紧张。直到所有的队员都上了车，她才开始放松起来。

小熊妹妹放松的原因之一，是布朗教练给了她一个剪贴簿，上面列好了物品清单。她可以按照清单在校车旁很神气地走来走去，清点物品，然后司机会把这些东西都装到车上。

足球，好了。

球筐，好了。

水桶，好了。

队服，好了。

毛巾，好了。

　　小熊妹妹感觉到所有的队员都在看她。这种感觉真好。现在她才真正有了"领队"的感觉。

　　她又在清单上多打了几个勾，只是为了让整件事看起来更重要一些。她把

铅笔夹在耳朵后面，然后上了车。所有的队员都用尊敬的目光看着她。

小熊妹妹挺起胸膛，举起剪贴簿，开始核对名单上所有队员的名字。

"都到齐了，教练。"小熊妹妹报告完毕后，坐了下来。她坐在前排，就坐在布朗教练身边。嗯，真不赖！小熊妹妹心想。

校车缓缓开出了停车场，小熊妹妹笑了。她头一次感觉到自己是这么重要。

校车抵达了熊王国中心小学。这里
是熊王国小霸王队的大本营，小霸王队
是熊妮联盟的老对手。

熊妮联盟的队员们被安排到了来宾
更衣室。小熊妹妹负责分发队服。布朗
教练说了一番鼓舞士气的话之后，队员
们就排队跑向了足球场。

看台上挤满了人。小熊妹妹知道队

员们现在都很紧张。大劳拉看起来不只是紧张，她简直是吓坏了。

小熊妹妹反倒一点儿也不紧张了。负责一场真正的比赛和平时练习完全不同，这让她更感觉到自己的重要性。也正因为这样，她反而觉得轻松起来。

小熊妹妹在队员们坐着的长凳前走

来走去，她拍拍她们的肩膀，对她们说：
"你们会做得很好的。"

然后，小熊妹妹在一些队员的脸上看见了笑容。大劳拉这次也抬起头来对她说："谢谢，小熊妹妹。"

小熊妹妹的胸膛挺得更高了。这还差不多！现在她可不只是在管理足球啊，毛巾啊，队服啊什么的了，她是在管理整支球队呢！

然而俗话说得好：骄兵必败。这之后发生的一件事把一切都搞糟了。

这都是因为布朗教练说了一句："小熊妹妹，大家看上去都很渴，你去拿水来吧！"

水桶！小熊妹妹把它落在更衣室里了！她飞奔向更衣室，找到了水桶。

她忘了操场上就有水管，而是在更衣室里就把水桶装满了水。

提着沉重的水桶，小熊妹妹走得很慢。她慢慢地穿过更衣室，走向足球场。

水桶实在太重了，每一秒钟它都仿佛变得更沉。小熊妹妹的手开始疼起来，她的手臂也又酸又痛。

她想换只手提，但是没时间了，她已经听到欢呼声了。于是，小熊妹妹加快了脚步。

她急匆匆地向操场走去，手臂疼得像快要掉下来了一样。水桶前后摇晃得

很厉害，水不断地从桶里溅出来。

终于到了操场边了。小霸王队这时已经上场了，熊妮联盟的队员们也站在了球场边，她们在等着喝水后再上场。

小熊妹妹跑了起来，就像穿着重重的靴子在厚厚的雪地里跑步。她的腿像灌了铅一样沉重，她的手臂渐渐失去了知觉。

终于，小熊妹妹跑到了赛场边。她听见人群里有人在笑她。

只剩下最后十米了，可就在这时，她被绊倒了，不是被操场上的什么东西绊倒，而是被自己的脚绊倒了。

小熊妹妹摔了一个大跟头。她摔掉

了水桶，水洒了一地。水桶跟着她一起
翻了个跟头——正好扣在她的头上！

　　小熊妹妹坐在操场上，头上扣着那
只水桶。她完全傻掉了。

不知是谁叫了起来："喂，你来错比赛了！头盔是打橄榄球用的！"所有人都大笑起来。

小熊妹妹把水桶从头上取下来——她浑身都湿透了。

这时又有人开始起哄："喂，送水的姑娘，浴室在更衣室里面呢！"

小熊妹妹慢慢地站起身来，她朝赛场上看去——小霸王队人人都在大声笑着，她再看看场地旁边自己的队员——连她们也都在大笑。

大劳拉笑得最大声。就在刚才，她还笑着对小熊妹妹说了声"谢谢"，而这会儿她就又在和别人一起嘲笑自己了。

哨声响了起来，熊妮联盟也上场了。

队员们只好忍着口渴开始比赛。

小熊妹妹会在意吗？

不，她一点儿也不在意。

她只顾得上生气。

小熊妹妹对这场足球比赛印象模糊极了。

她给队员们送了水和毛巾，但却根本不记得比分。结果是，熊妮联盟以 1：2 输给了小霸王队。

回去的路上，小熊妹妹一直在假装睡觉。校车在学校的停车场停下来以后，她才又假装从睡梦中醒来。

到家以后，小熊妹妹心不在焉地吃着晚饭。

熊妈妈问："小熊妹妹，怎么了？比赛输了吗？"

小熊妹妹盯着自己的盘子。突然，她再也忍不住了，放声大哭起来，边哭

边诉说整个事情的经过：她如何跑回更衣室去取水桶，如何挣扎着把水桶提回操场上，如何被自己的脚绊倒，以及水桶又如何正好倒扣在自己的头上！……

熊妈妈看着小熊哥哥，怕他又会大笑起来，而这一次，小熊哥哥看上去很难过——他从没见自己的小妹妹哭得这么伤心过。

终于，小熊妹妹停止了哭泣，但眼泪还是止不住静静地流下来。熊妈妈递给她一张纸巾。

熊爸爸清了清嗓子，说："还好，你没有受伤。"

小熊妹妹听了，生气地盯着熊爸爸。

她气冲冲地说："问题是我在那么多人面前出了丑！如果我受了伤，她们也许就不会笑得那么厉害，也不会说那么多难听的话了。"

熊爸爸不知该说什么好，他叹了口气。

"你们都别管了，"熊妈妈说，"来，小熊妹妹，我们上楼去。"

熊妈妈和小熊妹妹一起上楼去了小熊妹妹的房间。她们一起坐在床边。

"你听过那句话吗，妈妈？"小熊妹妹问，"棍棒和石头可以打断我的骨头，但话语绝不会伤害到我。"

"听过。"熊妈妈说。

"说得一点也不对，"小熊妹妹委屈

地说，"话语可以伤害到我。"

熊妈妈搂着小熊妹妹，温柔地说："宝贝，我知道你的感受，但是要记住，别人在对你说难听话的时候，通常并不是真的想要伤害你，他们也许只是在炫耀给他们的朋友看。我想足球场上发生的事也是出于同样的原因。"

"也许吧，"小熊妹妹说，"但是被嘲笑总归让人难受。"

"是这样。"熊妈妈说。

"我不想做领队了，"小熊妹妹说，"我要辞职。臭袜子和脏毛巾本来就已经够糟糕的了，而那些嘲笑最让人受不了。"

"如果你真想辞职，那就辞吧。"熊

妈妈说，"不过，这样做很可能只会引来她们更多的嘲笑。"

听了这句话，小熊妹妹又想了一会儿。

"也许是这样。"她说，"告诉你我想怎么办吧——下一次训练我还去参加，但是如果有任何人再因为这次比赛的事嘲笑我，我就对着她的鼻子打过去！"

"宝贝，不可以这样。"熊妈妈劝道。

"也许你是对的……"小熊妹妹又想了想，"她们可能会打回来。而且，她们都比我高大好多。"

小熊妹妹终于还是去参加了下一场训练。

训练过程中，队员们不停地朝她吹

口哨,朝她起哄。奎妮甚至叫她"水桶头",还叫了好多次。

大劳拉学着奎妮的样子,也一次又一次地叫小熊妹妹"水桶头"。

不过大劳拉自己也遇到了麻烦:上一场比赛她踢得并不好,所以布朗教练让她在场外做额外训练。

这让小熊妹妹在熊王国中心小学的那次比赛之后,第一次笑了出来。

回到更衣室,她就笑不出来了。等待她的还是那副景象,脏队服和脏毛巾照样接连不断地扔向她。

过了一会儿,只剩小熊妹妹一个人在更衣室里了。布朗教练和大劳拉还在

操场上训练。小熊妹妹扫了一眼乱成一团的更衣室，感到很伤心。

为什么她必须要经历这些？她不是一个毛巾管理员，她是一个足球运动员！

小熊妹妹看了看奎妮的柜子，毛巾又被团成一团扔在柜子顶上。这一次，她的身体里好像有什么东西突然炸开了，她生气了，真的生气了！

小熊妹妹走到奎妮的柜子前面，狠狠地踢了一下，柜子发出"哐啷"的响声；她踢起地上的一块毛巾，毛巾飞过了柜子；她又去踢垃圾桶，垃圾桶被弹到了墙上。

小熊妹妹踢了所有她能看见的东西，

直到没有任何东西可以再让她踢了。

然后，小熊妹妹走了出去。她用力踢起地上的一块石头，石头被连续弹在了三棵树上。

这时，她看见了那只水桶。她一眼就认出这就是那只在熊王国中心小学的赛场上倒扣在她头上的水桶。她恨那只水桶。

小熊妹妹跑到水桶旁，她伸出脚，用尽力气踢了过去。

水桶被踢飞到了空中，落在了布朗教练身边，又弹了出去。

小熊妹妹连忙低下头——布朗教练肯定会骂她的。不过，教练并没有骂她。

“天哪！”布朗教练赞叹道，“多么好的一脚啊！过来，小熊妹妹，我想让你对着球门踢这只足球。”

布朗教练从大劳拉那里拿过足球，放在了足球场中央。

小熊妹妹朝着足球跑去。一个重击！足球直直地飞向了球门，弹跳了一下，就滚进了球网。

“哇！太帅了！”布朗教练惊呼道，“你是咱们学校里最好的射门手！你入选熊妮联盟足球队了，小熊妹妹！就从现在开始！”

小熊妹妹简直不敢相信自己的耳朵。她高兴得一蹦三尺高，大声叫着：“哦耶！”

经历了所有这一切之后，小熊妹妹终于成为了熊妮联盟足球队的队员。

就在那天，小熊妹妹明白了一个很

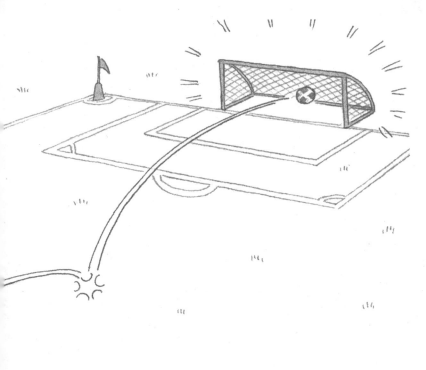

重要的道理：我们身边的事情有时会变得越来越糟，但也可能变得越来越好。有时候，一件很糟糕的事情甚至会变成很棒的事情。

她也明白了对待领队要友善——不光对领队，对所有看起来在干着一些不太重要的工作的人都要友善——这一点她永远不会忘记。

很快，小熊妹妹成了熊妮联盟足球队里最优秀的一名球员，甚至在她参加的第一场比赛中，她就踢进了决定胜负的一球！

从那以后，小熊妹妹还明白了一个道理：

小个子有时可能是会被人轻视，但这并没有什么大不了的——只要你对自己做的事很在行，小个子也能做出大成就！

　　亲爱的小贝迷，如果你喜欢这本《小小足球星》，如果你正沉浸其中并觉得不过瘾，那就快来继续关注我们其他的贝贝熊桥梁书吧！

　　这一系列桥梁书是我们引进美国兰登书屋的第一套贝贝熊系列桥梁书，专为低年级小读者量身打造。每个分册都是一篇完整的儿童小说，内容贴近儿童生活、有益有趣。简单、智慧的故事，将为你呈现精彩。阅读它们，你将体会到轻松自主阅读文字书的无限乐趣！

本系列桥梁书具有以下特点：

字句适中，科学阅读

本系列每个分册都有十个左右的较复杂的字词，以简短句型为主，同时也会涉及少量的长句。科学的桥梁书，一定设计得难易相辅，这对于小读者好比登山郊游，一路景致，一路收获，偶尔的险峻，也只是激发小读者勇气和信心的小小挑战。

章节故事，舒适阅读

本系列图书按章节划分，每册分为十个章节，每个章节一千多字，恰是一本文字较多的图画书的含量，一般的阅读速度可以在二十分钟内读完。舒缓的阅读设计，充分照顾到了小读者的阅读耐性，让小读者体验到放松舒适的阅读状态，充分享受阅读，从而爱上阅读。

有益有趣，吸引阅读

本系列图书包含了孩子成长过程中的重要命题，故事源于孩子们的实际生活，分享、友爱、宽容还有勇敢不放弃、团队精神、敢于尝试、肯定个性的张扬等都是这套书涉及的主题，这正是好故事所能释放的光亮，说教的道理绝难替代。

更多精彩故事：

《呆呆傻傻熊》

小熊妹妹班上来了新同学，那是一个呆呆的、傻傻的家伙，他有一个同样够傻的名字叫赫伯特·哈罗德·阿姆福特三世。当班上的同学起哄说赫伯特是小熊妹妹"男朋友"的时候，小熊妹妹生气了，有多生气呢？如果这个赫伯特三世不小心，他就会变成赫伯特·哈罗德·阿姆福特最后一世！

然而，随着故事的发展，大家渐渐对这个呆呆傻傻熊刮目相看了：他原来还是一个了不起的飞行器爱好者，一个钓鱼专家，甚至对身边的动植物都有相当的了解。而最最值得称赞的是他勇敢，并有爱心。这不，小熊妹妹已经把他当成最好的朋友了！好朋友，永远也不嫌多。

《拜拜坏小子》

小熊哥哥最近看上去总有些奇怪。他走路的时候像坏孩子，说话的时候像坏孩子。虽然他还在练投篮，但自从加入了大高个一伙的垃圾狗球队，不光是投篮，他还做了一些令小熊妹妹大吃一惊的事。小熊哥哥怎么了？他该怎么办呢？

如何选择朋友？除了非常幸运的人，在成长过程中，我们大多数人都会遇到这样的困惑——关键不在于是否幸运地选对了朋友，而在于我们能否像故事中的小熊哥哥那样，及时觉察到自己的改变，并有勇气对坏小子们说"拜拜"。

《超级狗狗秀》

　　一场横冲直撞的超级狗狗秀就要开始了！喜欢猫猫狗狗的小朋友看过来，喜欢爆笑故事的小朋友看过来！

　　这场熊王国里前所未有的超级狗狗秀，将由兽医海尔堡先生担任评委，狗狗们可以在会场表演各种特技，只要参与，就有奖品！这是一个好主意，问题是，狗狗秀真的能顺利举行吗？大高个一伙人打定主意要到狗狗们的秀场上去捣乱，狗狗秀那天究竟会发生什么呢？女士们、先生们，请准备好你们的伞吧，因为很可能要降临一场由猫猫、狗狗们组成的……瓢泼大雨！

《灯塔闹鬼记》

　　海边度假的贝贝熊一家租住了一处古老的灯塔，虽然灯塔里不提供电源，但能提供刺激也很不错。然而，当一些诡异、恐怖的事情接二连三地发生时，他们又有点害怕了：会不会有点太刺激了？这一切究竟是因为鬼魂在作怪，还是另有原因？当小熊兄妹撞见沙滩上搁浅的坏船，还有冷不丁冒出来的守塔人时，他们正一步步接近谜底，而谜底又是多么出人意料啊！

　　贝贝熊一家的海边假期结束了，而这座古老的灯塔也再次焕发了神奇的功用。这是一段令他们一家人永难忘怀的奇趣历险，又恐怖又美妙。